УДК 796.332
ББК 75.578
В38

Das große Fußball – Wimmelbuch
Illustration: Daniel Müller
Redaktion: Friederike Eickhoff

Все права защищены

Серия «Ищи и найди»

Для чтения взрослыми детям

Главный редактор *Н. Зимарина*
Ответственный редактор *Е. Карпова*
Редактор *Д. Жаркова*
Художественный редактор *М. Ларичева*
Технолог *Н. Москаленко*
Корректоры: *А. Никитина, А. Громыхина*
Вёрстка *М. Ларичевой*

Подписано в печать 13.03.2015
Формат 70×100/8 Усл. печ. л. 2
Тираж 5000 экз. Заказ № 6293

ООО Издательский дом «НИГМА»
119021, ул. Россолимо, д. 4
Тел. (495) 921-39-07
www.nigmabook.ru

Отпечатано с электронных носителей издательства.
ОАО «Тверской полиграфический комбинат».
170024, г. Тверь, пр-т Ленина,5.
Телефон: (4822) 44-43-60
Телефон/факс: (4822) 44-98-42

В38   Весёлые пряталки на футболе / под ред. Ф. Айкхоффа; ил. Даниеля Мюллера. — М.: НИГМА, 2015. — 16 с. — (Ищи и найди).

ISBN 978-5-4335-0219-2

ВЕСЁЛЫЕ ПРЯТАЛКИ
на ФУТБОЛЕ

Иллюстратор Даниель Мюллер

Издательский дом «НИГМА», Москва, 2015

Обруч

Малые ворота

Трусы

Флажок

ЗРИТЕЛИ ГОТОВЯТСЯ К ИГРЕ

Футбол — самая известная командная игра с мячом. Футбол любят и играют в него во всём мире. Мы познакомим тебя с основными правилами, расскажем, как зрители и футболисты готовятся к матчу, и покажем различные ситуации, которые могут возникнуть на футбольном поле во время игры.

Зрители и болельщики собрались на стадионе перед матчем, чтобы посоревноваться в ловкости и выносливости. Посмотри, как небольшая команда юных футболистов под руководством судьи решила поиграть в мини-футбол. В это время их родители встали за воротами, чтобы поддержать игроков.

Рядом с ними несколько семей занялись гимнастикой и прыжками в высоту. Около больших футбольных ворот команда под руководством тренера отрабатывает удары.

На другом конце поля на беговой дорожке устроили забег юные спортсмены.

А кто-то из зрителей решил купить еду и прохладительные напитки.

Спортивная сумка

Бутылка воды

Мячи в сетке

Футбольная форма

Вратарь

Сторож футбольного поля

Кубок мира (за побе... на чемпионате мир...

Щиток

Входной билет

ФИНАЛ

САЛЮТ / ФАКЕЛ

ТРИБУНА сектор ряд место
237 24 25

Каток для газона

Вратарские перчатки

Разметка поля

Питьевая бутылка

Жёлтая карточка

Труба болельщика (вувузела)

Победители

Красная карточка

Прич...

Ном... на фут...

Крики болельщиков

Санитары

Шарф болельщика

Капитанская повязка

Спортивная сумка

Бутсы с шипами

Звезда футбола

НАЙДИ:

Труба болельщика (вувузела)

Кубок Европы

Перчатки вратаря

Билет

ПОДГОТОВКА ПОЛЯ И УЧАСТНИКИ ФУТБОЛЬНОГО МАТЧА

Перед началом игры на футбольном поле подстригают траву и наносят разметку игрового поля, чтобы ограничить его размеры.

За правилами игры следит футбольный судья. Ему помогают два помощника, которые держат в руках по флажку.

Судья может остановить игру свистком, если правила были нарушены, а также показать нарушителю жёлтую или красную карточки.

Жёлтая карточка означает предупреждение, а красная – удаление игрока с поля.

В каждой команде есть капитан, он носит специальную нарукавную повязку. Руководит игроками тренер. Вместе с капитаном в состав команды входят основные и запасные игроки, помощники тренера и работники медицинской службы.

Все футболисты должны быть одеты в футбольную форму: трусы, майку, бутсы и гетры.

Красная карточка

Спортивная сумка

Свисток

Капитанская повязка

⚽ Жесты судьи

Угловой удар

Угловой удар

Замена игрока

Преимущество (продолжайте игру)

11-метровый удар (пенальти)

Свободный удар

⚽ Способы ударов

Дриблинг (ведение мяча как можно ближе к ноге)

Удар через себя в падении

Удар головой

Удар носком

⚽ Нарушения правил

Удержание

Опасная игра

Угрозы, оскорбления, плевки

ПОСЧИТАЙ:

 Мячи

 Игроки в красных трусах

 Игроки в белых гетрах

Аут

Штрафной удар

Офсайд (положение вне игры)

Удар с замахом

Удар с лета

Прыжок на соперника

Игра рукой

Толчок, блокировка

ФУТБОЛЬНЫЕ ПРИЁМЫ ИГРОКОВ И ЖЕСТЫ СУДЕЙ

В футболе, как и в каждой игре, существуют разрешённые и запрещённые приёмы.

К разрешённым приёмам относятся передача мяча игроку своей команды, удар мячом по воротам соперника, обводка игрока из другой команды и удар головой по мячу.

К запрещённым приёмам относится удержание соперника за майку, нанесение удара сопернику рукой или ногой, прыжок на игрока другой команды, игра рукой.

Посмотри, как судьи и их помощники показывают различные игровые ситуации и нарушения правил, которые могут произойти на поле во время игры.

Жесты судей и их помощников означают угловой удар, штрафной удар, пенальти, замену игрока на поле, а также момент, при котором мяч уходит за линию ворот (аут).

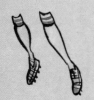

Игроки в жёлтых гетрах

Флажки

Судьи в розовых майках

КАССА 1

СЕКТОР А

НАЙДИ:

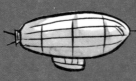
Аптечка

Дирижабль

Флаг

Скелет

НА СТАДИОНЕ ПЕРЕД МАТЧЕМ

Зрители и болельщики любят смотреть футбольную игру на стадионе. Приезжают на него всей семьёй. Прежде чем занять свои места, зрители покупают билеты в кассе.

Стадион представляет собой огромную конструкцию, где трибуны для зрителей находятся под крышей, а поле — под открытым небом.

На трибунах существуют специальные места, где очень хорошо видно игровое поле, такие трибуны называют VIP-ложами. А ещё на стадионе находится семейный сектор и кафе, где родители и дети могут купить напитки и еду.

Комментируют игру спортивные комментаторы.

Посмотри, как футболисты готовятся к матчу. Часть из них надевает футбольную форму, кто-то принимает душ, а одному из игроков делают массаж.

Плита

Кубок

Ведро

Автомобиль

ПОСЧИТАЙ:

 Дети в жёлтых майках

 Взрослые в красных майках

 Музыкальные инструменты

ПРИВЕТСТВИЕ КОМАНД

Перед началом футбольного матча команды выходят на поле, где капитаны приветствуют друг друга, главного арбитра матча и, конечно, зрителей. Каждый игрок ведёт за руку юного футболиста.

Во время проведения футбольного матча количество игроков в футбольной команде не должно превышать одиннадцати человек.

Футбольный матч состоит из двух таймов по сорок пять минут каждый, пауза между ними составляет пятнадцать минут. В это время игроки меняются воротами и отдыхают.

Команды сопровождают оркестр и группа поддержки – девочки с помпонами в руках. Комментатор сообщает имена всех футболистов зрителям и болельщикам.

Зрители и болельщики поддерживают своих игроков при помощи плакатов и жестов.

На поле выносят главный приз футбольного матча – золотой кубок. Его получит та команда, которая победит в этой игре.

Отсчёт времени матча начинается с момента подачи сигнала судьёй.

 Кепки

 Помпоны группы поддержки

 Птиц и животных

НАЙДИ:

Флажок

Майка с номером 3

Кепка

Красная карточка

ИГРОВЫЕ СИТУАЦИИ НА ПОЛЕ

В напряжённые моменты игры, когда игроки борются за мяч, могут произойти различные нарушения правил.

Ты уже знаком с основными правилами игры и должен заметить, что одному из игроков показывают красную карточку.

Судья назначил штрафной удар, и один из футболистов команды, чей игрок пострадал, готовится забивать мяч в ворота своих соперников.

А на другой стороне поля врач подготовил носилки, чтобы унести травмированного игрока.

Зрители напряжены и смотрят в сторону ворот, они переживают за свою команду.

Посмотри, как на другом конце поля один футболист выставляет ногу на пути игрока из другой команды.

Как ты думаешь, это входит в разрешённые приёмы?

Перчатки вратаря

Очки

Трусы с номером 21

Свисток

НАЙДИ:

 Бутылка воды

 Кепка

 Утка-игрушка

 Собака

ПРОСМОТР МАТЧА НА БОЛЬШОМ ЭКРАНЕ

У зрителей и болельщиков, не попавших на стадион, есть возможность посмотреть матч на большом экране.

Обычно такие экраны ставят на больших площадях, на отдельных площадках или в спортивных кафе. Такие зрительские зоны позволяют с комфортом наблюдать самые интересные матчи.

На эти просмотры зрители и болельщики не покупают билеты.

Зрители, так же, как и на стадионе, могут громко кричать и поддерживать свою команду. И взрослые, и дети весело общаются друг с другом, не мешая игре футболистов.

Во время таких просмотров продают мороженое и прохладительные напитки.

Посмотри, как разместились зрители перед экраном, чтобы лучше увидеть игру любимой команды.

Коктейль

Птица

Шапка болельщика

Кошка

НАЙДИ:

Мяч

Награды

Коза

Кубок

НАГРАЖДЕНИЕ КОМАНДЫ ПОБЕДИТЕЛЕЙ

Вот и закончился футбольный матч.

На поле идёт подготовка к награждению, на специальных подушечках вынесли медали команде победителей. Золотой кубок установили на самое почётное место. Это главная награда за победу в футбольном матче.

Группа поддержки танцует и машет помпонами в честь своих игроков.

Футболисты победившей команды подкидывают вверх своего тренера, радуются и благодарят болельщиков за поддержку. Вратари двух команд обмениваются майками.

Зрители ликуют и празднуют победу своих игроков.

В это время капитан проигравшей команды благодарит судью за участие в матче. А его игроки во главе с тренером с грустью покидают поле.

Но мы грустить не будем, поскольку игра доставила радость зрителям и была очень яркой и захватывающей. А тебе за время красочного матча удалось познакомиться с правилами этой замечательной игры.

Помпон

Собака

Бутсы

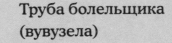

Труба болельщика (вувузела)